D0549170

Binet les Bidochon [2]

en vacances

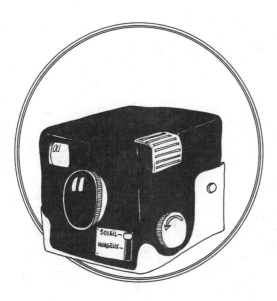

CET ALBUM EST DÉDICACÉ :
Aux vacances.
Au sable.
À la mer.
Aux villages-vacances, sans qui certaines rencontres n'auraient pas été possibles.

CET ALBUM N'EST PAS DÉDICACÉ :
Aux autres rencontres.
Aux soirées animées et débiles.
Au yaourt à manger les yeux bandés.
Au ramassage de papiers gras dans l'enthousiasme général.
À la gosse du bungalow d'à côté qui a piqué le seau de plage de ma môme.

**D'UNE FAÇON GÉNÉRALE,
CET ALBUM EST DÉDICACÉ
À CEUX QUI CROIENT POSSIBLE DE VIVRE DEUX FOIS,
AVEC QUI MES RAPPORTS
FURENT AUSSI DIVERS QU'ENRICHISSANTS.**

© Binet et Audie-Fluide Glacial, 1981

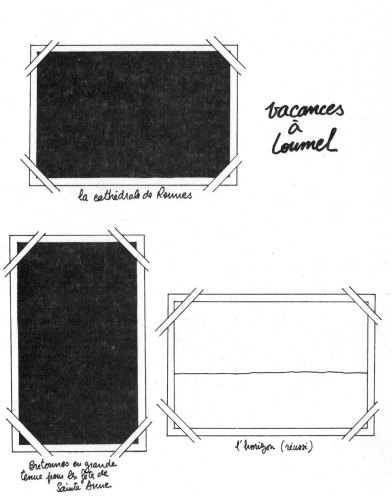

la cathédrale de Rennes

vacances
à
Loumel

Bretonnes en grande
tenue pour les fête de
Sainte Anne

l'horizon (réussi)

5

6

7

8

9

10

11

12

13

14

15

16

17

OUI, MAIS, QUAND MÊME! **DANS L'OCÉAN!!** VOUS CROYEZ PAS QU'AVEC LES PÉTROLIERS QUI COULENT, LES CÔTES BRETONNES ONT EU ASSEZ LEUR COMPTE COMME ÇA!

LA MER EST À TOUT LE MONDE, MADAME, ET CHACUN A DROIT DE FAIRE CE QU'IL VEUT DEDANS!

IL Y A DES BUISSONS POUR ÇA, MADAME!

LES BUISSONS, ICI, C'EST COMME LES PARKINGS, LES LOCATIONS DE CHAISES LONGUES ET LES BUVETTES! Y EN A PAS, MADAME! **Y A QUE DE LA DUNE!**

EN TOUS CAS, LE JOUR OÙ IL Y AURA UN C.R.S. SUR CETTE PLAGE, ON VERRA SI VOTRE MARI OSERA FAIRE SON BESOIN DANS L'EAU!

LE JOUR OÙ Y AURA UN C.R.S., ON VERRA CE QUE VOUS FEREZ QUAND VOUS AUREZ ENVIE DE FAIRE! MADAME!

MOI, QUAND J'AI ENVIE, JE ME RETIENS!

NON MAIS, T'AS VU CETTE CONSTIPÉE!

EN PLUS, ELLE VA NOUS FAIRE ARRIVER EN RETARD POUR DÉJEUNER!

SURTOUT QU'ON A PROMIS AUX TRAMSON D'ÊTRE LÀ POUR GAGNER LES QUATRE CAFÉS GRATUITS AVEC ELIX!

TIENS, MON CHÉRI, ESSUIE-TOI TOUTE CETTE COCHONNERIE AVEC UN KLEENEX!

ET QU'EST-CE QUE J'EN FAIS DU KLEENEX, APRÈS, MAMAN?

T'AS QU'À LE JETER DANS L'OCÉAN, ÇA PARTIRA AVEC LES VAGUES!

WOUAAA, LA GUEULE DES MECS DU CLUB LIÉNARD QUAND ON LEUR A CHOURAVÉ TOUS LES ÉCHANTILLONS NESTLÉ!

FAUT DIRE QU'ILS SONT PAS TRÈS DOUÉS POUR LA COURSE EN SAC!

8

19

20

21

22

23

24

25

26

28

BEEERGEREU DES LANDEU LE BAL VA COMMENCER.EU...

LA FRANCE GASTRONOMIQUE
Les Quenelles W. SAURIN
Une Conserve Saurin, prenez,
Le couvercle ouvrez,
Dans une casserole versez,
Sur feu doux mijotez,
Dans une assiette versez,
Miam... dégustez !

Chers tous !
Aujourd'hui, nous nous
sommes inscrits pour une
excursion.

PHOTO ARTE AMVEURS

LES CARS LOUMELOIS

1. 2. 3 ! 1. 2. 3 !
UN PEU DE SILENCE, S'IL VOUS PLAÎT, J'AIMERAIS VOUS DONNER LE DÉTAIL DU PROGRAMME DE LA JOURNÉE !

TOUT D'ABORD, PREMIER ARRÊT CHEZ UN ARTISAN LOCAL QUI FABRIQUE DES OBJETS TYPIQUEMENT RÉGIONAUX ! CEUX QUI CHERCHENT DES SOUVENIRS ORIGINAUX POURRONT EN ACHETER !

WOUHAAA

DEUXIÈME ARRÊT AU SOMMET DES FALAISES DE PLOUMENEC POUR Y ADMIRER UN MAGNIFIQUE PANORAMA SUR LA MER !

WOUHAAAAAA

ET ENFIN, TROISIÈME ARRÊT: DÉJEUNER DE SPÉCIALITÉS GASTRONOMIQUES RÉGIONALES !

WOUHAAAAAAA

29

30

31

UN JOUR, J'AI COMMENCÉ PAR DES PHOTOS DE FAMILLE ET PUIS PETIT À PETIT, J'EN SUIS ARRIVÉ À NE PLUS FAIRE QUE DES OEUVRES ARTISTIQUES !

MOI, LA PHOTO, C'EST PAS MON FORT ! JE SAIS JAMAIS SI JE DOIS METTRE SUR SOLEIL OU SUR NUAGEUX !

LÀ, JE FOUS MON ZOOM AVEC UN DOUBLEUR QUATRE LENTILLES, ET HOP, JE ME FAIS UN GROS PLAN ARTISTIQUE DE L'HORIZON...

CLIC CLAC

JE SAIS CE QUE JE VAIS FAIRE, JE VAIS EN PRENDRE UNE SUR "SOLEIL" ET UNE AUTRE SUR "NUAGEUX", COMME ÇA, SUR LES DEUX, Y EN AURA BIEN UNE QUI SERA PAS LOUPÉE !

CLIC

ON REPART !

PÔÔÔMP

TANT QU'IL Y AURA DES ÉTOILEU SOUS LA VOÛTEU DES CIEUX-EU...

T'AS PRIS DES PHOTOS ?

OUI, DEUX ! UNE SUR NUAGEUX ET UNE AUTRE SUR SOLEIL !

COMME ÇA, JE SUIS SÛR QU'IL SERA RÉUSSI MON HORIZON ARTISTIQUE !

"A 10 KM. RESTAURANT "Pou chebal d'orgueil" SPÉCIALITÉS RÉGIONALES

ANNAÏK ! PRÉPARE L'OUVRE-BOÎTES, VOICI CES POIREUX DU VILLAGE-VACANCES !

PÔÔÔMP

4

33

34

36

37

40

"LA BOUFFE : IMPECCABLE! L'AMBIANCE : IMPECCABLE! CONFORT : IMPECCABLE! DU SOLEIL TOUT LE TEMPS, ET SURTOUT, L'AIR DU LARGE!

ICI, VOUS ALLEZ VOUS RETAPER!

BRUNO!

"et enfin, le Dimanche soir, qui est le soir du bal!

ATTENTION, J'ALLUME!

OOOOOOOHH

SHHHHT

BRUNO!

QUEL EST LE CON QUI A TAPÉ DANS LES PLOMBS AVEC UN BALLON?

"Comme tu le vois, ma chère Solange, mes soirées sont bien remplies, et le temps passe vite! trop vite, hélas, car demain il nous faut déjà songer au retour.

MAIS, MADAME, EST-CE QU'ON NE PEUT PAS REPARLER DE TOUT ÇA DEMAIN MATIN?

VOUS ÊTES LE DIRECTEUR, OUI OU NON?

OUI, MAIS...

ALORS, LAISSEZ-MOI VOUS DIRE QUE JE TROUVE HONTEUX, VOUS M'ENTENDEZ, HONTEUX, QUE TOUT UN VILLAGE VACANCES SE LIGUE CONTRE UN PAUVRE GOSSE SANS DÉFENSE POUR LUI CREVER SON BALLON!

6

42

43

45

46

47

Achevé d'imprimer en Europe à Pössneck (Thuringe, Allemagne)
en décembre 2003 pour le compte de E.J.L., 84, rue de Grenelle, 75007 Paris
Dépôt légal décembre 2003
Diffusion France et étranger : Flammarion